Laurent Gaulet

AR-TI-CU-LER

+ de 160 nouvelles phrases pour s'amuser à bien

« Sacha le chat
s'échappant de chez
ce cher Serge »

© **Éditions Générales First, 2004**

Conception graphique : Frédéric Agid
Dessin de couverture : Kum Kum noodles

Cet ouvrage a été proposé par e-novamedia

ISBN 2-87691-976-1
Dépôt légal : 4ᵉ trimestre 2004
Imprimé en Italie

*Nous nous efforçons de publier des ouvrages qui
correspondent à vos attentes et votre satisfaction est pour
nous une priorité. Alors, n'hésitez pas à nous faire part
de vos commentaires :*

Éditions Générales First
27, rue Cassette / 75006 Paris - France
Tél. : 01.45.49.60.00 / Fax : 01.45.49.60.01
e-mail : firstinfo@efirst.com

En avant-première, nos prochaines parutions, des résumés
de tous les ouvrages du catalogue. Dialoguez en toute
liberté avec nos auteurs et nos éditeurs. Tout cela et bien
plus sur Internet à : www.efirst.com

[AICHE] [ANCHE] [ACHE]

Hache trente fraîches et franches tranches.

(répéter dix fois)

[AICHE] [ANCHE] [ACHE]

Si la vache arrache et mâche, sache que ça gâche la mâche.

(répéter dix fois)

[AICHE] [ANCHE] [ACHE]

La vache
se fâche.

La bâche
se tache.

(répéter dix fois)

[AGUE] [ASTE] [ACE]

Le pragmatisme

de l'astigmate

agace.

(répéter dix fois)

[AGUE] [ASTE] [ACE]

Un dragueur

drastique

braque

en dragster.

(répéter dix fois)

[BAR] [ARE] [BRA]

La barque braque dans la barbaque.

(répéter dix fois)

[BAR] [ARE] [BRA]

Arlette est alerte !

(répéter dix fois)

[BO] [BOL] [BLAI] [BEL]

Beau blé blond
dans bol blanc.

Blond laid blême
dans blanc bled.

(répéter dix fois)

[BRA] [CRA] [TRA] [CRO]

Ses bras
brassent
des rats
rances sans
s'embarrasser
de la crasse.

(répéter dix fois)

[BRA] [CRA] [TRA] [CRO]

T'embrasser
t'embarrasse
mais tu ne
t'embarrasses
pas d'embrasser !

(réciter le plus vite possible)

[BRA] [CRA] [TRA] [CRO]

Ta craie trace
des traces
de craie
et dégraisse
des traces
de crasse.

(réciter le plus vite possible)

[BRA] [CRA] [TRA] [CRO]

Crac !
Les crocs
du croco
croquent.

(réciter le plus vite possible)

[BRA] [CRA] [TRA] [CRO]

Les crocs du crocodile croquent Odile.

(réciter le plus vite possible)

[BRI] [BRE] [BE]

Dans l'abri côtier,
un abricot
de l'abricotier
cote moins
qu'un abricotier
non côtier à l'abri.

(retenir et répéter)

[BRI] [BRE] [BE]

Bruno bêche,
Benoît bine.

Bruno bine,
Benoît bêche.

(répéter dix fois)

Quand la cathédrale se
décathédralisera-t-elle ?
Et quand elle se
décathédralisera,
comment la
recathédralisera-t-on ?

(retenir et répéter)

[CHE] [CHA] [CHO]

Le chétif chef coupe-tifs chante.

(réciter le plus vite possible)

[CHE] [CHA] [CHO]

Charlène achète
échalote, Charlotte
châle, Charlotte
achète laine,
Charlène lotte.

(réciter le plus vite possible)

[CHE] [CHA] [CHO]

Le hibou niche où ?

Le hibou niche là.

Où est la niche

du hibou ?

Là où le hibou niche.

(réciter le plus vite possible)

[CHE] [CHA] [CHO]

Quand
Jérémie a mis
un réchaud
chez moi,
chérie, j'ai ri !

(répéter dix fois)

[CHIC] [CHAC] [SIPE] [TCHOC]

Chaque slip
choc est chic,
chaque slip
chic choque.

(répéter dix fois)

[CHIC] [CHAC] [SIPE] [TCHOC]

Chipe une chips et chique !

(répéter dix fois)

[CHIC] [CHAC] [SIPE] [TCHOC]

Un chèque
kitch c'est chic,
un tchèque
trotskiste
ça choque.

(répéter dix fois)

[CLAIR] [GLAIR]

Claire et Louis. Louis est clerc

et Claire a l'ouïe claire.

Claire s'éclaire et ouïe l'éclair.

L'éclair éclaire Louis. Eh oui...

Claire et lui sont clairs

car Claire et l'éclair éclairent.

Mais seul Louis est clerc !

(retenir et répéter)

[CLAIR] [GLAIR]

Au Caire,
Claire
glaire.

(réciter le plus vite possible)

[CLO] [FLO] [FOL] [CAL] [CLA]

Faut qu'on chlore
les flocons
du folklore
et qu'on fore
le folklore
du faucon.

(retenir et répéter)

30

[CLO] [FLO] [FOL] [CAL] [CLA]

Et l'on
clame :
« Le caméléon
a calmé
Léon ! »

(répéter dix fois)

Les cordonniers
coopèrent
à l'accord
de coordination.

(répéter dix fois)

[CROI] [CRI] [CRU]

Les trois creux
croissent.

Les deux croix
croisent.

(répéter dix fois)

[CROI] [CRI] [CRU]

Les crocus
croissent,
le corbeau
croasse,
le crapaud
coasse.

(retenir et répéter)

[CROI] [CRI] [CRU]

Celui qui y a cru s'y fiait. Celui qui a cru s'y fier ne s'y fie plus et celui qui a crucifié ne s'y est jamais fié.

(retenir et répéter)

[CROI] [CRI] [CRU]

J'ai cru casser assez
de crustacés crus
et qu'il y avait assez
de crustacés crus
cassés et tassés
dans la tasse écrue.

(retenir et répéter)

[CROI] [CRI] [CRU]

Cristallins,
les cris des
cricris crissent,
croissent
et crispent.

(réciter le plus vite possible)

[CROI] [CRI] [CRU]

Pruneau cuit,

pruneau cru.

(réciter le plus vite possible)

[DO] [DU] [DON] [DAN]

Dodu don

de dix dents

de dedans dont

deux dues.

(répéter dix fois)

[EX] [ESQUE] [ESTE] [CEPTE]

J'exige exciser !

(répéter dix fois)

[EX] [ESQUE] [ESTE] [CEPTE]

Le maximalisme extrême expire.

(répéter dix fois)

[EX] [ESQUE] [ESTE] [CEPTE]

Dans l'expectative
de respect,
j'accepte vos
excuses mais
j'excepte
l'explication.

(retenir et répéter)

[EX] [ESQUE] [ESTE] [CEPTE]

J'escompte
la valeur
extrinsèque
de l'escarcelle.

(répéter dix fois)

[EX] [ESQUE] [ESTE] [CEPTE]

Quand tu
t'exprimes,
tu estimes
escamoter ces
exactitudes.

(répéter dix fois)

[FE] [FA] [VE] [FIA]

Femme
fiable.

Flamme
faible.

(répéter dix fois)

[FE] [FA] [VE] [FIA]

Le poivre fait
fièvre au pauvre
Pierre et
la poire fait
peur à la pauvre
pieuvre.

(retenir et répéter)

[GLA] [BA] [GRA] [BLA]

Le glas
glace
le gars
gras.

(répéter dix fois)

[GLA] [BA] [GRA] [BLA]

La glace blesse.

La basse glaise.

(répéter dix fois)

[IC] [ATE] [ITE]

Brique
et flatte
la bique,
latte et frite
la blatte.

(répéter dix fois)

[ILE] [ILLE]

Dans la paille,
la poule pille
la pile d'opales.

(répéter dix fois)

[ILE] [ILLE]

Enfile le fil
et file en
ville filer
la fille
effilée.

(répéter dix fois)

[ILE] [ILLE]

La fille défile, des filles défilent.

(répéter dix fois)

[ILE] [ILLE]

Ce débile
de Billy
deale
des billes.

(réciter le plus vite possible)

[JA] [JO] [JI] [JU]

J'avais lu
et j'avais Lisa
qui javellisait
le javelot.

(répéter dix fois)

[JA] [JO] [JI] [JU]

Le jet
du javelot
de jonc de l'agile
jeunot jugé
par un jury
de jumeaux.

(retenir et répéter)

[JAI] [SU] [JU] [CHU] [JAN]

J'ai su juger et j'ai vu Jésus chuter !

(répéter dix fois)

[JAI] [SU] [JU] [CHU] [JAN]

Déchu,
l'ange
déçu
chut.

(réciter le plus vite possible)

[JAI] [SU] [JU] [CHU] [JAN]

Des gens,
j'en juge
mais j'ai jugé
Georges
et Jean âgés.

(répéter dix fois)

58

[KI] [KOTE] [KOC] [KO] [KA]

Kiki la cocotte
coquette
quitte Coco
le coq coquet.

(réciter le plus vite possible)

[KI] [KOTE] [KOC] [KO] [KA]

Quand cocotte
cadette caquette,
coq coquet
quête.

(réciter le plus vite possible)

[KI] [KOTE] [KOC] [KO] [KA]

Cocorico !
Coco cocu, coq rit.
Coq au riz cuit,
coco cocu rit.
Coco cuit au curry,
haricots coco,
bon appétit !

(retenir et répéter)

[KI] [KOTE] [KOC] [KO] [KA]

Quand coq québécois
quête becquée de
coke et que cocotte
québécoise bécote
coq québécois,
coq québécois
est bec coi.

(retenir et répéter)

[KI] [KOTE] [KOC] [KO] [KA]

Luka est jokey
et Ludo est judoka.
Quand Luka fait
du judo, Ludo fait
du jus de jockey.

(retenir et répéter)

[LO] [OLE] [LA] [ALE]

Aller Lorette,
allouons le lot
de lotte à
l'alouette que
le loup la lape !

(réciter le plus vite possible)

[METTE] [PETTE]

Les mémés mettent
des pépettes mais
les pépés pètent
ou bien les mémés
pètent mais
les pépés mettent
des pépettes ?

(retenir et répéter)

[MI] [NI] [MI] [ME]

Six minuscules
similaires
ministres sinistres
minimisent
le salaire minimum et
simulent des milliards.

(retenir et répéter)

[MI] [NI] [MI] [ME]

À Nîmes,
ni mamie
ni Minie
ne miment.
Mamie manie
minime mie,
Minie anime.

(retenir et répéter)

[MI] [NI] [MI] [ME]

Nue, Manon
nie mais ni
Ninon ni nous
ne l'avons
nommée.

(réciter le plus vite possible)

[MIL] [LIME] [MOUL]
[MAL] [LAME]

La semoule molle
se moule.

Les milles moules
se mouillent.

(répéter dix fois)

[MIL] [LIME] [MOUL]
[MAL] [LAME]

Mille mulets mâles liment mille lames.

(réciter le plus vite possible)

[MIL] [LIME] [MOUL] [MAL] [LAME]

De Lima au Mali,

Emile, l'ami du lama,

lime les lames

et Emilie, l'amie

d'Emile, lit et lie

le lilas au lit.

(retenir et répéter)

[OR] [NOR] [MOR]

L'énorme
orme hors
norme orne
le morne
manoir.

(répéter dix fois)

[OUI] [HUI]

Pendant
huit nuits,
j'ai ouï huit
iguanes huer.

(répéter dix fois)

[OUI] [HUI]

Huit
huissiers
huileux
hument
huit huîtres
huilées.

(répéter dix fois)

[OULE] [OUILLE]

La nouille
molle
mouille
la moule.

(réciter le plus vite possible)

[OULE] [OUILLE]

L'abeille coule dans le miel.

(réciter le plus vite possible)

[OULE] [OUILLE]

Si je mouille
mes coudes.
Mes coudes
se mouillent-ils ?
Oui, mes coudes
se mouillent.

(réciter le plus vite possible)

Patte-mouille.

Plates nouilles.

(réciter le plus vite possible)

[PAL] [PUL] [POL] [PEL] [PIL]

La Péloponnésienne
plaît à Paul.
Elle épile pull
et sans pull, le pâle
Paul pèle au pôle.

(retenir et répéter)

[PAL] [PUL] [POL] [PEL] [PIL]

Pile-poil,
la poule épile
les boules de
poils de Paul.

(réciter le plus vite possible)

[PAL] [PUL] [POL] [PEL] [PIL]

Pile ou face ?
Pile j'efface mes
piles de pulls,
face tu épiles tes
boules de poils.

(retenir et répéter)

[PAL] [PUL] [POL] [PEL] [PIL]

À poil, la poule
à poils fait sa plume.
Déplumée, la poule
à plumes est à poil.
Au plum', la poule
à poils se pèle.
A poil, la poule
à plumes se plume.

(retenir et répéter)

[PUL] [BEL] [BLE] [POUL]

La poubelle
belle, pleine
de beaux
poulpes
bleus.

(réciter le plus vite possible)

[PUL] [BEL] [BLE] [POUL]

Le pas beau
poulpe blanc
pèle le pull
bleu.

(réciter le plus vite possible)

Grosse pipe,

petite boîte,

petite pipe,

grosse boîte.

(répéter dix fois)

Affine trois petites pipes fines, trois fines petites pipes affinées.

(répéter dix fois)

[PRIN] [RINCE] [PIN]

Le mince prince pince et se rince.

(répéter dix fois)

[PRIN] [RINCE] [PIN]

Le mince prince
graisse ses gants,
peint ce pin, perce
ses pièces, rince sa
main, pince ce pain,
perd ses pièces,
grince des dents
et mince !

(retenir et répéter)

[RA] [RE] [RI] [RO] [RU]

La raie ronde rôde au ras de l'eau dans la rade de l'île de Ré.

(réciter le plus vite possible)

Dans la rue
le rat rit,
dans le riz
le rat se rue,
dans la rue
le rat se noie.

(réciter le plus vite possible)

[RA] [GRE] [RI] [CRO] [RU]

Gros rot
de rat gris,
gras rot
de riz gros.

(répéter dix fois)

[RA] [GRE] [RI] [CRO] [RU]

Le chroniqueur grec est gros. Le gros chroniqueur est gras.

(répéter dix fois)

[RE] [FRAI] [RAI] [FRI] [FROI]

Le réfrigérateur
réfrigérant génère
le frais, réfrigère
et régénère l'eau.

(réciter le plus vite possible)

[RE] [FRAI] [RAI] [FRI] [FROI]

- Réfrigérateur !
Quand te
réfrigéreras-tu ?

- Quand me
réfrigérerai-je ?
Je me réfrigérerai
quand tu te réfrigéreras.

(retenir et répéter)

[RE] [FRAI] [RAI] [FRI] [FROI]

J'ai froid car des fois,
un effroi me fait frais.
Si j'ai frais, j'ai froid
et si j'ai froid, j'effraie.
Et comme quand
j'effraie, j'effrois et que
l'effroi me fait frais,
j'ai froid.

(retenir et répéter)

95

[RE] [FRAI] [RAI] [FRI] [FROI]

Il reste
presque
treize
fraises
fraîches.

(répéter dix fois)

[RE] [FRAI] [RAI] [FRI] [FROI]

Geoffroy !
J'ai froid
et Sara fraîchit.
J'ai frais et ça
rafraîchit Sara.

(réciter le plus vite possible)

[RE] [FRAI] [RAI] [FRI] [FROI]

- Geoffroy ! dit Jeffrey.
J'ai froid !
- Oui, Jeffrey, moi aussi
j'ai froid. Et toi, Joffrey ?
- J'ai frais. Et toi Sara ?
- Ça rafraîchit, Joffrey.
- Geoffroy !
- Oui, Joffrey ?
- Sara fraîchit,
rentrons au chaud.

(retenir et répéter)

[RESPE] [SPEC] [ESTE]

Le respectable
spectre
du spectacle
inspecte
l'estrade
esquintée.

(répéter dix fois)

[RESPE] [SPEC] [ESTE]

Un réceptacle
spectaculaire.

(répéter dix fois)

[ROUCE] [POUCE] [TOUCE]

La mousse
rousse pousse.

La douce
rousse tousse.

(répéter dix fois)

[SA] [CHA] [SE]
[CHE] [SO] [CHU]

Sacha le chat
s'échappa chez
ce cher Serge
et chut sur
son chai.

(retenir et répéter)

[SA] [CHA] [SE]
[CHE] [SO] [CHU]

Sachez

laisser

sécher

ces sachets !

(retenir et répéter)

[SA] [CHA] [SE]
[CHE] [SO] [CHU]

Venez lécher
ça chez moi
et laissez
ce châle là !

(répéter dix fois)

[SA] [CHA] [SE]
[CHE] [SO] [CHU]

Charlotte !

Séchez-la-moi !

Charlène !

Laissez-moi !

(répéter dix fois)

[SA] [CHA] [SE]
[CHE] [SO] [CHU]

Sachez chasser, ça sert...

(répéter dix fois)

[SA] [CHA] [SE]
[CHE] [SO] [CHU]

Les échasses chassent les chats.

(répéter dix fois)

[SA] [CHA] [SE]
[CHE] [SO] [CHU]

Ces seize
chaises-ci
sont
sèches ?

(retenir et répéter)

[SA] [CHA] [SE]
[CHE] [SO] [CHU]

Le chasseur sachant chasser sue sans son chien !

(retenir et répéter)

[SA] [CHA] [SE]
[CHE] [SO] [CHU]

Sept

chaudes

chaussettes

sont sèches.

(répéter dix fois)

[SA] [CHA] [SE]
[CHE] [SO] [CHU]

Cette chose sèche.

(répéter dix fois)

[SA] [CHA] [SE]
[CHE] [SO] [CHU]

Achète
cette
chose-ci
qui est
si chaude !

(répéter dix fois)

[SA] [CHA] [SE]
[CHE] [SO] [CHU]

La poule
ça pond,
le chapon
ça pond pas.

(réciter le plus vite possible)

[SA] [CHA] [SE]
[CHE] [SO] [CHU]

Chez soi, chacun sait chauffer.

(répéter dix fois)

[SA] [CHA] [SE]
[CHE] [SO] [CHU]

Quand
la chance sourit,
la chauve-souris
se rit
du chasseur chauve.

(répéter dix fois)

[SA] [CHA] [SE]
[CHE] [SO] [CHU]

Un chasseur sans
échasses a plus
de chance de chasser
un chamois qu'un
chasseur sur
ses échasses de chasser
un chameau.

(retenir et répéter)

[SA] [CHA] [SE]
[CHE] [SO] [CHU]

C'est si cher
chez Serge
que ça se sait
chez tout
le monde !

(retenir et répéter)

[SA] [CHA] [SE]
[CHE] [SO] [CHU]

Ces
chaussettes
sous la chaise
sont sans
chaussures.

(répéter dix fois)

[SA] [CHA] [SE]
[CHE] [SO] [CHU]

Salut !
Au chalet,
c'est chez moi.
Chez toi,
dans le chalut,
ça pue.

(réciter le plus vite possible)

[SA] [CHA] [SE]
[CHE] [SO] [CHU]

Chaste Charlotte
charme Charles.
Elle chaloupe,
lâche son châle
et un « salut ! »
lui échappe.

(réciter le plus vite possible)

[SA] [SE] [SI] [SO] [SU]

Sous
le riz roussi,
la souris
sourit.

(répéter dix fois)

[SA] [SE] [SI] [SO] [SU]

Cent
souriceaux
sots sans
seaux
sourient à
cent souris.

(répéter dix fois)

[SA] [SE] [SI] [SO] [SU]

Ces six skis-ci sont si sciés qu'on ne sait s'ils sont six.

(répéter dix fois)

[SA] [SE] [SI] [SO] [SU]

Si ceux-là usent ceci et que ceux-ci sucent cela, cela s'use aussi.

(répéter dix fois)

[SA] [SE] [SI] [SO] [SU]

La santé, ce n'est pas
la maladie mais
« santé » n'est
pas sans « T ».

La maladie, ce n'est
pas la santé mais
« maladie »
est sans « T ».

(retenir et répéter)

[SA] [SE] [SI] [SO] [SU]

Sans seau,
ces six sont
si sots que
sans eau,
ces six sont
secs.

(répéter dix fois)

[SA] [SE] [SI] [SO] [SU]

Sans elle,
le sire cisèle
cent ailes sans
sel. Sans sire,
elle scelle cent
selles sans cire.

(retenir et répéter)

[SA] [SE] [SI] [SO] [SU]

Celle-ci
scelle
la stèle sale,
celle-là
sale la sole
sotte.

(réciter le plus vite possible)

[SA] [SE] [SI] [SO] [SU]

Si sans « six »,
cent six
serait cent,
six cent six
sans « six »
serait six cents.

(retenir et répéter)

[SA] [SE] [SI] [SO] [SU]

Cinq capucins
ceints d'une
ceinture, sains
de corps et
d'esprit portaient
sur leur sein,
le seing
de saint Pierre.

(retenir et répéter)

[SA] [SE] [SI] [SO] [SU]

Six lilloises
îliennes en Sicile
ne sont pas
six siciliennes
et six siciliennes
à Lilles ne sont
pas six îliennes.

(retenir et répéter)

[SCRI] [CROU]
[CRISSE] [SCOU]

Cé

descriptif

crispe.

(répéter dix fois)

[SCRI] [CROU]
[CRISSE] [SCOU]

Le scout scrute son casse-croûte.

(répéter dix fois)

[SERE] [VER]

À l'anniversaire,
Annie sert
verres d'anis
verts et
ça sert !

(répéter dix fois)

[TAIRE] [FAIRE] [FIR] [FOR]

Se terrer c'est
se taire, taire
c'est faire taire,
s'enterrer c'est se faire
terre et se faire
terre c'est se taire.

(retenir et répéter)

[TAIRE] [FAIRE] [FIR] [FOR]

La firme affirme
haut et fort raffiner,
faire fermer phare,
perforer terre
et faire forer fer.

(retenir et répéter)

[TAIRE] [FAIRE] [FIR] [FOR]

Arrête ta frime et ferme ta firme.

(répéter dix fois)

[TAN] [TER] [TA] [TON]

Tu tues
ton tonton
à t'entêter
à tâtons,
à tant téter
ta tata.

(réciter le plus vite possible)

[TAN] [TER] [TA] [TON]

T'as tant attendu ?

Mais, t'as tondu tôt ?

Ta tonte est tôt !

T'a tant tondu...

(réciter le plus vite possible)

[TAN] [TER] [TA] [TON]

Avec tonton,
tondons ton thon
et, tondant ton thon,
tondons donc
ta tonne de taons !

(réciter le plus vite possible)

[TAN] [TER] [TA] [TON]

L'attendant en tutu,
ta tata tentée,
tendant tétons,
entendit ton tonton
qui tondait
tes moutons tandis que
tu te tuais à tenter
de monter ta tente.

(retenir et répéter)

[TAN] [TER] [TA] [TON]

T'as tant
tondu que tu
t'étonnes de
ta tonne de
tonte pourtant
tant attendue.

(réciter le plus vite possible)

[TIC] [AQUE] [TAC] [IQUE] [ATE]

Tic et Tac
ont chacun
leur tactique.
Tic pique Tac
quand Tac attaque
Tic et Tac pique
Tic quand Tic
attaque Tac.

(réciter le plus vite possible)

[TIC] [AQUE] [TAC] [IQUE] [ATE]

Agathe rit
et gatte Eric,
Monique tique
et tacle Agathe.

(répéter dix fois)

[TIC] [AQUE] [TAC] [IQUE] [ATE]

Agathe a des tics,
Monique n'a pas
de tact. Agathe a
du tact, Monique
n'a pas de tic.

(retenir et répéter)

[TIC] [AQUE] [TAC] [IQUE] [ATE]

L'asticot mastique,
le moustique
m'asticote, l'aspic
pique, le tique
massicote.

Et le porc-épic ?

(retenir et répéter)

[TIC] [AQUE] [TAC] [IQUE] [ATE]

Asticot mastiqué.

Abricot astiqué.

(répéter dix fois)

[TIP] [TUT] [TOP] [TAUP]

Au top
type « tut »,
la taupe tape
mais au
top « tut »,
le type
tape taupe.

(réciter le plus vite possible)

[TON] [PAN] [TON] [DAN]

Ton tonton
mou tond
ton mouton.

(répéter dix fois)

[TON] [PAN] [TON] [DAN]

Tonton,
c'est le pompon !
Ton ponton pend.
T'entends ?
Tendons-le !

(réciter le plus vite possible)

[TOU] [DOU] [BOU] [POU]

Tout doux,
bout
de cou
de pou boue.

(répéter dix fois)

[TOU] [DOU] [BOU] [POU]

Moult doux
bouts de mou
valent mieux
que moult
coups debout.

(réciter le plus vite possible)

[TRA] [TROI] [FRA]
[TRO] [FRO]

La trappe frotte fort.

Tard frappe la porte.

(répéter dix fois)

[TRA] [TROI] [FRA]
[TRO] [FRO]

Trace trois traits d'un trait très étroit.

(répéter dix fois)

[TRA] [TROI] [FRA]
[TRO] [FRO]

Trotte, rattrape, frite, frotte et frappe !

(réciter le plus vite possible)

[TRA] [TROI] [FRA]
[TRO] [FRO]

Une boîte de
Tetramétidiliumpa-
raforbitrolézène,
s'il vous plaît !

(réciter le plus vite possible)

Retrouvez également :

+ de 160 nouvelles phrases pour s'amuser à bien

AR-TI-CU-LER